Maren Lünn: Molke-Drinks 101 Rezepte

Maren Lünn

Molke-Drinks

101 Rezepte

Jürgen Schmidt - Verlag

© 2004

Jürgen Schmidt - Verlag

Jürgen Schmidt
Marktplatz 3
64683 Einhausen

Satz (Umschlag):
Lasertype Satz- und Grafik-Atelier GmbH
Druck und Bindearbeiten:
GGP Media GmbH/ 07381 Pößneck; Germany
Fotos: Getty Images GmbH: vordere und hintere Umschlagseite

ISBN 3-9806026-8-0

Inhalt

Register

Teil 1: Allgemeines

Pfiffiges Molkevergnügen

Molke ist ein echtes All-roundtalent. Molke lässt sich mit unzähligen Zutaten zusammen mischen, mixen oder schütteln: mit Früchten, Gemüsen, Säften, Konzentraten, Extrakten, Eiscreme und vielem mehr. Mit den verfügbaren Lebensmitteln lassen sich eine große Anzahl spritziger Molke-Drinks herstellen. Der Fantasie sind hierbei keine Grenzen gesetzt. Das Herstellen von Molke-Mixgetränken ist so einfach, dass sich auch Kinder ihr ganz persönliches Lieblingsgetränk mixen können. Es muss auch nicht immer gleich ein aufwendig gemixter Drink sein; auch einfach hergestellte Molke-Drinks finden ihre Liebhaber.

Die Rezepte dieses Buches bieten Ihnen erfrischende Shakes, pfiffige Mixereien, prickelnde Drinks oder raffinierte Cocktails für alle Gelegenheiten. Vielleicht regt dieses Rezeptbüchlein Sie aber auch an, selbst neue Rezeptvarianten zu entwickeln.

Für die meisten Rezepte benötigen Sie lediglich einen Mixer oder einen Pürierstab. Manche Drinks können im Mixbecher (Shaker) zubereitet werden.

Nehmen Sie für die Drinks schöne, dekorative Gläser und garnieren Sie diese entsprechend hübsch. Nicht nur Kinderaugen lassen sich mit pfiffigen Details verführen.

Was ist Molke?

Molke ist die Flüssigkeit, die bei der Käse- oder Quarkherstellung übrig bleibt. Da Molke jedoch im flüssigen Zustand nicht lange haltbar ist, wird sie getrocknet. Das bei der Trocknung erhaltene Molkenpulver wird je nach Bedarf wieder in Wasser eingerührt. Auf diese Weise kann man jederzeit eine erfrischende Molke genießen.

Molke oder Molkenpulver?

In sämtlichen Rezepten wird Molke als Hauptzutat ver-

wendet. Dabei ist es unerheblich, ob Sie die Molke direkt von einer Molkerei beziehen oder frisch aus Molkenpulver und Wasser ansetzen. Die Qualität einer aus Molkenpulver angerührten Molke ist dieselbe wie die einer frischen Molke.

Verwendung von Molkenpulver

Das Molkenpulver rühren Sie bitte laut Packungsanweisung des Herstellers zunächst in Wasser ein. Aus dieser frisch zubereiteten Molke können Sie sich dann, wie in der jeweiligen Rezeptur beschrieben, einen Molke-Drink mixen.

Natürlich ist es Ihrem Geschmackssinn überlassen, anstatt geschmacksneutraler Molke aromatisiertes Molkenpulver für die Rezepte einzusetzen.

Zutaten für Mix-Drinks

Folgende Übersicht in alphabetischer Reihenfolge soll Ihnen zeigen, wie groß die Vielfalt an möglichen Zutaten oder Aromatisierungsmitteln für Molke-Drinks ist. Statt der Obst- oder Gemüsesorte kann genauso gut der entsprechende Saft oder Sirup verwendet werden. Suchen Sie sich Ihre Favoriten heraus und mixen Sie sich Ihren Lieblingsdrink.

Äpfel
Ahornsirup
Amaretto (Mandellikör)
Ananas
Anis
Aprikosen
Avocado

Bananen
Birnen
Bittermandelöl
Blütenpollen
Brennesselblätter
Brombeeren

Kardamom
Cornflakes

Datteln
Dill

Eier
Eierlikör
Eiscreme
Erdbeeren

Feigen
Fruchtzucker

Gemüsezwiebel
Gewürznelke
Grapefruit

Haferflocken
Haselnüsse
Heidelbeeren
Himbeeren
Honig
Honigmelone

Ingwer

Johannisbeeren

Kaffeepulver (Instant)
Kakaopulver
Karotten

Kerbel

Kirschen

Kiwi

Knoblauch

Kokosnussmilch

Kokosraspel

Kresse

Leinsamen

Limetten

Löwenzahnblätter

Mandelmus

Mandeln

Mango

Maracuja

Meerrettich

Muskatnuss

Orangen

Oregano

Papaya

Paprikapulver

Paprikaschote

Petersilie

Pfeffer

Pfirsiche

Radieschen

Rhabarber

Rosinen

Salatblätter

Salatgurke

Sanddornsaft

Sauerkrautsaft

Schnittlauch

Spinat

Tomaten

Vanilleschote

Vanillezucker

Wassermelone

Weizenflocken

Weizenkleie

Zimt

Zitronen

Zitronenmelisse

Abkürzungen / Erklärungen

TK = tiefgekühlt
Teel. = Teelöffel
Essl. = Esslöffel
Msp. = Messerspitze
ml = Milliliter
g   = Gramm

Teil 2: Rezepte

Fruchtige Drinks

✗ Statt Molke kann für alle Rezepte, wie auf **Seite 9** beschrieben, auch **Molkenpulver** eingesetzt werden.

Blümchen

Für 2 Drinks:

- **75 g Erdbeeren**
- **1 Teel. Blütenpollen**
- **1 Teel. heller Honig**
- **1 Essl. Zitronensaft**
- **400 ml Molke**
- **1 Eiweiß (für die Garnierung)**
- **Blütenpollen (für die Garnierung)**

1) Erdbeeren waschen, entstielen und trocken tupfen. 4 schöne Früchte für die Dekoration beiseite legen. Die restlichen Erdbeeren, die Blütenpollen, den Honig und den Zitronensaft in den Mixer geben und das Ganze etwa 10 Sekunden fein pürieren. Die Molke zugeben und alles zusammen nochmals gut vermengen.

2) Tupfen Sie die Ränder zweier Gläser in ein Schälchen mit Eiweiß und dann in ein Schälchen mit Blütenpollen. Drehen Sie die Gläser um und gießen Sie den Mix ein.

3) Schneiden Sie die Erdbeeren etwas ein und stecken Sie diese vorsichtig an die Glasränder.

O-Mix

Für 2 Drinks:

- **2 Orangen**
- **1 Teel. Sanddornmark**
- **1 Teel. Honig**
- **200 ml Molke**

1) Orangen halbieren, zwei dünne Orangenscheiben für die Dekoration abschneiden und beiseite legen. Die Orangenhälften auspressen und den Saft zusammen mit dem Sanddornmark und dem Honig im Mixer gut durchmischen. Bei laufendem Mixwerk langsam die Molke zufließen lassen.

2) Den O-Mix in zwei hohe Gläser füllen und jeweils eine Orangenscheibe an die Glasränder stecken. Die Drinks mit Strohhalmen servieren.

Dekotip: Die Orangenscheiben in Kokosraspeln wenden und an die Glasränder stecken.

CCC-Saft

Für 2 Drinks:

- **1 Zitrone**
- **1 Teel. Honig**
- **200 ml Orangensaft**
- **1 Essl. Sanddornsaft**
- **200 ml Molke**

1) Von der Zitrone zwei dünne schmale Spiralen für die Garnierung abschälen. Die Zitrone halbieren und auspressen.

2) Den Honig im Mixer mit der Hälfte des Orangensaftes gut verquirlen. Die restlichen Säfte und die Molke zugeben und den Drink gut durchmischen.

3) Den „CCC-Saft" in zwei hohe Gläser geben und mit den Schalenspiralen garnieren. Die Drinks mit farbigen Strohhalmen servieren.

fruit-only day

Für 2 Drinks:

- 1 Papaya
- Zitronensaft
- 1 Kiwi
- 1 Orange
- 200 ml Molke
- 1 Essl. Himbeersaft
- 2 Msp. gemahlener Ingwer

1) Die Papaya halbieren und die Kerne mit einem Löffel ausschaben. Das Fruchtfleisch aus einer Hälfte mit einem Kugelausstecher lösen, mit dem Zitronensaft beträufeln und beiseite stellen. Aus der zweiten Papayahälfte das Fruchtfleisch grob mit einem Löffel lösen.

2) Die Kiwi schälen. Die Orange halbieren und auspressen.

3) Die Kiwi zusammen mit dem grob gelösten Papaya-Fruchtfleisch im Mixer pürieren. Den Orangensaft, die Molke und den Himbeersaft zugeben und das Ganze kräftig verquirlen. Mit gemahlenem Ingwer abschmecken.

4) Die Papayakugeln auf zwei Gläser verteilen und den Früchtemix darüber gießen. Die Cocktails mit je einem Cocktailstäbchen servieren.

Paya & Maya

Für 2 Drinks:

- **1 kleine Papaya**
- **1 Orange (unbehandelt)**
- **250 ml Molke**
- **Blütenpollen (für die Garnierung)**

1) Die Papaya der Länge nach halbieren und die Kerne mit einem Löffel ausschaben. Die Schale entfernen und das Papayafruchtfleisch in Stücke schneiden. Einige Stückchen für die Garnierung beiseite legen.

2) Die Orange waschen, abtrocknen und zwei dünne schmale Spiralen für die Garnierung abschälen. Anschließend etwa einen gehäuften Esslöffel Orangenschale reiben. Dann die Orange halbieren und auspressen.

3) Das Fruchtfleisch der Papaya im Mixer pürieren. Den frischen Orangensaft und die Molke dazugeben und das Ganze kräftig vermischen.

4) Den Fruchtmix in zwei schöne Gläser füllen. Die restlichen Papayastückchen in Blütenpollen wenden und an die Glasränder stecken.

5) Die Drinks mit den Schalenspiralen garnieren und mit der geriebenen Orangenschale bestreuen.

Green Pep

Für 2 Drinks:

- 2 Kiwi
- 300 ml Molke
- 2 Essl. Kokosflocken
- 2 Essl. Himbeersaft

1) Die Kiwis schälen und halbieren. Zwei dünne Kiwischeiben für die Garnierung abschneiden und beiseite legen. Die Kiwihälften im Mixer pürieren, die Molke dazugießen und beides zusammen kräftig verquirlen.

2) Den Kiwi-Drink vom Mixer nehmen und die Kokosflocken mit einem Löffel einrühren. Den Mix in zwei Gläser füllen. Den Himbeersaft langsam in die Drinks träufeln.

3) Die Kiwischeiben einschneiden, an die Glasränder stecken und in die Kiwischeiben noch je ein Papierschirmchen stecken.

Araber-Trunk

Für 2 Drinks:

- 1 kleiner Apfel
- 1 Teel. Ahornsirup
- 400 ml Molke
- Saft einer Zitrone
- Pflanzenöl
- Ingwerpulver

1) Apfel schälen, vierteln und entkernen.

2) Apfelstücke, Ahornsirup, Molke, Zitronensaft und ein paar Tropfen Pflanzenöl in den Mixer geben und zusammen etwa 10 Sekunden mixen.

3) Den Araber-Trunk mit Ingwerpulver abschmecken und in zwei hohe Gläser füllen.

Birne-Helene

Für 2 Drinks:

- **1 große Birne**
- **Saft einer Zitrone**
- **1 Teel. Kakaopulver**
- **1 Teel. Honig**
- **300 ml Molke**
- **Schokoladenkuvertüre**
- **1 Essl. Schokoraspel**

1) Birne waschen, trocknen und halbieren. Die Schnittflächen mit etwas Zitronensaft einreiben, damit sie nicht so schnell braun werden. Mit einem Kugelausstecher etwa die Hälfte des Fruchtfleisches lösen. Die ausgestochenen Birnenkugeln mit Zitronensaft beträufeln und beiseite legen. Das restliche Fruchtfleisch von der Schale mit einem Löffel grob lösen.

2) Das grob gelöste Fruchtfleisch zusammen mit dem Kakaopulver und dem Honig in den Mixer geben. Das Ganze etwa 10 Sekunden mixen. Auf niedriger Mixstufe langsam die Molke zugeben und den Molkenmix mit Zitronensaft abschmecken.

3) Die Schokoladenkuvertüre erwärmen und darin zwei Gläser mit dem Rand etwa 3 bis 4 Millimeter tief eintauchen. Die Kuvertüre abtropfen und den Schokoladenrand antrocknen lassen. Vorsichtig den Molkenmix in die Gläser geben.

4) Die Birnenkugeln auf die Drinks verteilen und diese mit den Schokoraspeln garnieren. Zum Abschluss die Drinks mit Kakaopulver leicht bestäuben.

Apfel-Molke-Mix

Für 2 Drinks:

- 1 säuerlicher fester Apfel
- Saft einer Zitrone
- 300 ml Molke
- Honig
- Anispulver
- Zimt

1) Apfel schälen, vierteln und entkernen. Die Apfelstücke zusammen mit dem Saft einer Zitrone bei kleiner Flamme auf dem Herd weich dünsten.

2) Apfelstücke vom Herd nehmen und noch warm zusammen mit der Molke und dem Honig in den Mixer geben. Das Ganze zehn Sekunden kräftig durchmixen.

3) Den Apfel-Molke-Mix mit Anispulver und Zimt abschmecken und in zwei hohe Gläser füllen.

Ingwer-Drink

Für 2 Drinks:

- 1 feste Birne
- 300 ml Molke
- Ingwer (gemahlen)
- Zitronensaft

1) Von der Birne zwei Scheiben für die Dekoration abschneiden und beiseite legen. Dann die Teile schälen, vierteln und entkernen. Die Fruchtstücke zusammen mit wenig Molke im Mixer pürieren. Die restliche Molke zugeben und alles gut vermengen.

2) Die Birnenmolke mit gemahlenem Ingwer und Zitronensaft nach Belieben abschmecken. Den Mix in zwei Gläser geben.

3) Die Birnenscheiben einschneiden und an die Glasränder stecken. Die Drinks sofort servieren.

Avobacado-Mix

Für 4 Drinks:

- **1 reife Avocado**
- **2 Zitronen (unbehandelt)**
- **1 kleine Banane**
- **1 Essl. Honig**
- **500 ml Molke**
- **Kokosraspel (für die Garnierung)**

1) Die Avocado schälen, halbieren und den Kern herauslösen. Das Fruchtfleisch grob zerkleinern und in den Mixer geben.

2) Etwas Zitronenschale einer Zitrone abreiben. Die Zitrone halbieren und auspressen. Die Banane schälen und klein schneiden.

3) Die Bananenscheiben zusammen mit der geriebenen Zitronenschale, dem Zitronensaft und dem Honig in den Mixer zum Avocado-Fruchtfleisch geben. Alles zusammen etwa 10 Sekunden pürieren. Langsam die Molke zugießen und das Ganze weitere 10 Sekunden gut durchmixen.

4) Die Mischung auf vier Kelchgläser verteilen. Die zweite Zitrone in Scheiben schneiden. Die Zitronenscheiben in den Kokosraspeln wenden und an die Glasränder stecken.

5) Den Avobacado-Mix mit Kokosraspeln bestreuen und mit dicken Trinkhalmen servieren.

Cassis-Molke

Für 2 Drinks:

- 100 g Johannisbeeren
- 1 kleine Birne
- 300 ml Molke
- 1 Teel. Honig
- 1 Teel. Vanillezucker

1) Die Johannisbeeren waschen und einige Rispen für die Garnierung beiseite legen. Die restlichen Beeren von den Stielen zupfen. Die Birne schälen und klein schneiden.

2) Alle Früchte zusammen pürieren und das Püree durch ein Sieb streichen. Den Saft auffangen und mit der Molke und dem Honig im Mixer verquirlen.

3) Den Vanillezucker in den Mix einrühren. Die Cassis-Molke in zwei Longdrinkgläser geben und diese mit Johannisbeerrispen garnieren.

Blackberry-Mix

Für 2 Drinks:

- 100 g Brombeeren
- 100 ml schwarzer Johannisbeersaft
- 100 ml Ananassaft
- 200 ml Molke
- Vanillezucker
- Zitronensaft
- Haselnussraspel

1) Die Brombeeren verlesen, sorgfältig waschen und auf einem Küchentuch abtropfen lassen. Die Brombeeren im Mixer pürieren und das Püree durch ein feines Sieb streichen. Den Fruchtsaft auffangen und zusammen mit den Säften und der Molke im Mixer gut verquirlen.

2) Die Beeren-Molke mit Vanillezucker und Zitronensaft abschmecken. Den Mix in zwei dekorative Gläser füllen. Die Drinks mit den Haselnussraspeln bestreuen und sofort servieren.

Dattel-Wolke

Für 2 Drinks:

- **1 Vanilleschote**
- **8 Datteln (entsteint und getrocknet)**
- **1 Essl. Haselnüsse**
- **400 ml Molke**
- **1 Teel. Waldhonig**
- **Zitronensaft**
- **Zimt**

1) Die Vanilleschote längs aufschneiden und das Vanillemark mit einem Messer herauskratzen. Auf zwei Spieße jeweils zwei Datteln für die Dekoration stecken.

2) Die restlichen Datteln vierteln und zusammen mit den Haselnüssen im Mixer möglichst gut zerkleinern. Die Molke zugeben und alles etwa 30 Sekunden kräftig mixen. Den Mix durch ein Sieb geben, um den Bodensatz zu entfernen.

3) Den Molke-Mix zusammen mit dem Vanillemark und dem Honig nochmals in den Mixer geben, gut verquirlen und mit Zitronensaft abschmecken.

4) Den Mix in zwei hohe Gläser geben und mit Zimt bestäuben.

5) Die Drinks mit den Dattelspießen garnieren und sofort servieren.

Bananen-Feigen-Molke

Für 2 Drinks:

- 2 frische Feigen
- 1 kleine Banane
- 1 Vanilleschote
- 300 ml Molke
- Zimt
- Zitronensaft
- 1 Teel. gehackte Mandeln

1) Die Feigen aufschneiden und mit einem kleinen Löffel das Fruchtfleisch herausnehmen.

2) Die Banane schälen und in Scheiben schneiden. Zwei Bananenscheiben mit Zitronensaft beträufeln und für die Dekoration beiseite legen.

3) Die Vanilleschote in Längsrichtung aufschlitzen und das Vanillemark herauskratzen.

4) Feigen-Fruchtfleisch, Bananenscheiben, Vanillemark und etwas Molke in den Mixer geben und alles zusammen auf höchster Stufe pürieren. Die restliche Molke zugeben und das Ganze nochmals gut verquirlen.

5) Den Molke-Mix mit Zimt und Zitronensaft abschmecken und auf zwei Gläser verteilen.

6) Die Glasränder mit je einer Bananenscheibe garnieren und die Drinks mit den gehackten Mandeln bestreuen.

Fitness-Drink

Für 2 Drinks:

- **2 Aprikosen**
- **2 frische Feigen**
- **1 Teel. Ahornsirup**
- **1 Teel. Sanddornsaft**
- **300 ml Molke**
- **Zimt**

1) Aprikosen kurz in siedendes Wasser legen, herausnehmen und mit einem Messer die Schale abziehen. Die Aprikosen halbieren und entkernen. Die Feigen aufschneiden und mit einem Löffel das Fruchtfleisch herausnehmen.

2) Die Aprikosenhälften zusammen mit dem Feigenfruchtfleisch, dem Ahornsirup und dem Sanddornsaft im Mixer pürieren. Die Molke zugeben und das Ganze gut verquirlen. Den Fitness-Drink in zwei hohe Gläser geben und mit Zimt bestäuben.

Herz-Trunk

Für 2 Drinks:

- **50 g Süßkirschen**
- **2 Pfirsiche**
- **1 Teel. heller Honig**
- **300 ml Molke**
- **Zitronensaft**

1) Die Kirschen waschen und entsteinen. Ein paar schöne Kirschen für die Garnierung beiseite legen. Pfirsiche kurz in kochendes Wasser legen und mit einem Messer die Haut abziehen. Die Pfirsiche entsteinen.

2) Die Kirschen zusammen mit den Pfirsichstücken und dem Honig im Mixer sehr fein pürieren. Die Molke zugeben und alles zusammen nochmals gut verquirlen. Den Mix mit genügend Zitronensaft abschmecken und auf zwei Gläser verteilen.

3) Die restlichen Kirschen auf zwei Spieße stecken und zu den Drinks servieren.

fata morgana

Für 2 Drinks:

- **1 Miniananas**
- **6 Datteln (entsteint und getrocknet)**
- **300 ml Molke**
- **heller Honig (für die Garnierung)**
- **Kokosraspel (für die Garnierung)**

1) Die Ananas schälen und in 1 Zentimeter dicke Scheiben schneiden. Den holzigen Kern aus jeder Scheibe mit einem Messer heraustrennen. Die Ananasscheiben fein würfeln und ein Viertel davon für die Garnierung beiseite legen.

2) Zwei Datteln mit dem Messer möglichst klein zerschneiden, die restlichen Datteln für die Garnierung aufheben.

3) Die Ananas- und Dattelstückchen zusammen mit der Molke in den Mixer geben und auf hoher Stufe kräftig miteinander vermixen. Das Ganze durch ein Küchensieb geben und den Molkenmix auffangen.

4) Zwei Gläser mit dem Rand zuerst in etwas Honig und dann in Kokosraspeln tupfen. Den Molkenmix vorsichtig in die Gläser füllen, ohne den Kokosrand zu beschädigen.

5) Die restlichen Ananaswürfel und Datteln auf zwei Spieße stecken und zu den Drinks servieren.

Highlight

Für 2 Drinks:

- 1 kleine Mango
- 250 ml Molke
- 50 ml Ananassaft
- Kokosraspel
- 1 Eiweiß (für die Garnierung)

1) Die Mangoschale einritzen und abziehen. Das Fruchtfleisch mit einem Messer spaltenweise vom Stein schneiden. Zwei Mangospalten für die Garnierung beiseite legen und das restliche Fruchtfleisch im Mixer pürieren.

2) Die Molke, den Ananassaft und 1 Teelöffel Kokosraspel zum Mangopüree zugeben und das Ganze kräftig mixen.

3) Zwei Gläser mit den Rändern zuerst in eine Schüssel mit Eiweiß und dann in eine Schüssel mit Kokosraspeln tupfen. Die Gläser umdrehen und den Kokosrand antrocknen lassen.

4) Den Mango-Mix vorsichtig in die Gläser füllen, ohne den Kokosrand zu zerstören.

5) Die Mangospalten einschneiden und an die Glasränder stecken.

Fruit-Cocktail

Für 2 Drinks:

- 1 Grapefruit
- 1 kleine Mango
- 1 Kiwi
- 250 ml Molke
- 1 Teel. Kokosraspel (für die Garnierung)

1) Die Grapefruit waschen und abtrocknen. Zwei dünne schmale Spiralen für die Garnierung abschälen. Die Grapefruit anschließend halbieren und auspressen.

2) Die Mangoschale einritzen und abziehen. Das Fruchtfleisch mit einem Messer spaltenweise vom Stein schneiden. Vier Mangospalten für die Garnierung beiseite legen.

3) Die Kiwi schälen und in Scheiben schneiden. Vier Kiwischeiben für die Garnierung beiseite legen.

4) Das Fruchtfleisch der Mango und der Kiwi zusammen im Mixer pürieren. Den Grapefruitsaft und die Molke zugeben und alles zusammen kräftig verquirlen.

5) Den Fruit-Cocktail in zwei hohe Gläser füllen. Die Cocktails mit Kokosraspeln und Schalenspiralen garnieren.

6) Die Mangospalten und die Kiwischeiben auf zwei Spieße stecken und zu den Drinks servieren.

Limetten-Mix

Für 2 Drinks:

- 2 Limetten
- 50 ml Ananassaft
- 1 Essl. Sanddornsaft
- 300 ml Molke
- 1 Teel. Kokosraspel

1) Die Limetten waschen und abtrocknen. Etwa die Hälfte der Schale einer Limette abreiben. Von der zweiten Limette zwei dünne schmale Spiralen für die Garnierung abschälen. Die Limetten anschließend halbieren und auspressen.

2) Die Limettenschale zusammen mit dem Limettensaft, dem Ananassaft, dem Sanddornsaft und der Molke in den Mixer geben und das Ganze kräftig durchmixen.

3) Den Limetten-Mix auf zwei hohe Gläser aufteilen und mit Kokosraspeln bestreuen. Die Drinks mit den Limetten-Spiralen garnieren.

Gaby`s Drink

Für 1 Drink:

- 3 Eiswürfel
- 2 Essl. Kirschsirup
- 1 Teel. Zitronensaft
- 3 Essl. Ananassaft
- 3 Essl. Aprikosennektar
- 150 ml Molke
- 1 Karambole

1) Die Eiswürfel in einen Shaker (Mixbecher) geben. Den Sirup, den Zitronensaft, den Ananassaft, den Nektar und die Molke dazugießen. Den Shaker etwa 15 Sekunden kräftig schütteln. Den Shake durch ein Barsieb in ein Glas gießen.

2) Die Karambole in Scheiben schneiden und eine Scheibe an den Glasrand stecken. Die restlichen Scheiben zum Drink servieren.

fun on the beach

Für 1 Drink:

- 3 Eiswürfel
- 2 Essl. Himbeersirup
- 1 Teel. Zitronensaft
- 3 Essl. Apfelsaft
- 150 ml Molke
- 1 Zitronenscheibe
- 1 Cocktailkirsche

1) Die Eiswürfel in einen Shaker (Mixbecher) geben. Den Himbeersirup, den Zitronensaft, den Apfelsaft und die Molke dazugießen. Den Shaker etwa 15 Sekunden kräftig schütteln. Den Molkenshake durch ein Barsieb in ein Glas gießen.

2) Die Zitronenscheibe einschneiden und an den Glasrand stecken. Die Cocktailkirsche mit einem Cocktailspieß aufspießen und den Drink damit garnieren.

Maracuja-Pfirsich

Für 2 Drinks:

- 2 Pfirsiche
- 50 ml Maracujasaft
- 300 ml Molke
- 1 Teel. Blütenpollen

1) Pfirsiche kurz in kochendes Wasser legen und mit einem Messer die Haut abziehen. Die Pfirsiche halbieren, entsteinen und dann achteln. Ein paar Pfirsichschnitze für die Garnierung beiseite legen.

2) Die restlichen Pfirsichstücke im Mixer pürieren. Den Maracujasaft und die Molke zugeben und das Ganze gut verquirlen. Die Blütenpollen mit einem Löffel unterrühren.

3) Den Mix in zwei Gläser füllen. Die Pfirsichschnitze auf zwei Spieße stecken und die Drinks damit garnieren.

Melonen-Mix

Für 2 Drinks:

- ½ Honigmelone
- 1 Teel. heller Honig
- 300 ml Molke
- 1 Essl. Himbeersirup
- Kokosraspel

1) Die Melonenhälfte schälen, die Kerne mit einem Löffel entfernen und das Fruchtfleisch in Spalten teilen. Zwei Melonenspalten für die Garnierung beiseite legen.

2) Die restlichen Melonenspalten zusammen mit dem Honig in den Mixer geben und fein pürieren. Die Molke und den Himbeersirup zum Melonenpüree zugeben und das Ganze kräftig verquirlen.

3) Den Melonen-Mix in zwei Kelchgläser füllen. Die Melonenspalten einschneiden, in Kokosraspeln wenden und an die Glasränder stecken.

Strawberry-Mix mit Häubchen

Für 2 Drinks:

- 75 g Erdbeeren
- 1 Teel. Himbeersirup
- 100 ml Orangensaft
- 300 ml Molke
- 2 Essl. geschlagene Sahne

1) Die Erdbeeren waschen, entstielen und trocken tupfen. Zwei schöne Früchte für die Dekoration beiseite legen.

2) Die restlichen Erdbeeren zusammen mit dem Himbeersirup im Mixer pürieren. Orangensaft und Molke dazugeben und alles nochmals auf kleiner Stufe verquirlen.

3) Den Strawberry-Mix in zwei hohe Gläser füllen und auf jeden Drink ein Sahnehäubchen sowie eine Erdbeere setzen.

Erdbeer-Traum

Für 2 Drinks:

- 75 g Erdbeeren
- 3 Essl. Maracujanektar
- 1 Teel. Ahornsirup
- 250 ml Molke
- 100 ml Ananassaft
- 1 Scheibe Ananas

1) Die Erdbeeren waschen und entstielen. Vier schöne Früchte für die Dekoration beiseite legen.

2) Die Erdbeeren zusammen mit dem Maracujanektar und dem Ahornsirup pürieren. Die Molke und den Ananassaft zugeben und alles zusammen gut durchmischen. Den Mix in zwei Kelchgläser füllen.

3) Die Ananasscheibe zerteilen und die Stücke abwechselnd mit den restlichen Erdbeeren auf zwei Spieße stecken. Die Fruchtspieße über die Drinks legen.

big apple

Für 2 Drinks:

- 1 Orange
- 50 ml Apfelsaft
- 300 ml Molke
- 1 Teel. heller Honig
- 2 Babyäpfel

1) Die Orange halbieren und auspressen. Den frisch gepressten Orangensaft, den Apfelsaft, die Molke und den Honig in den Mixer geben. Alles zusammen etwa 10 Sekunden kräftig mixen. Die Mischung auf zwei Gläser verteilen.

2) Die Äpfel bis zur Hälfte einschneiden und an die Glasränder stecken. Die Drinks mit Strohhalmen servieren.

Heidi

Für 2 Drinks:

- 75 g frische Heidelbeeren
- 1 Teel. Waldhonig
- 2 Essl. Himbeersirup
- 350 ml Molke
- 2 Essl. geschlagene Sahne

1) Die Heidelbeeren verlesen, waschen und gut abtropfen lassen. Ein paar Heidelbeeren für die Garnierung beiseite legen.

2) Die restlichen Heidelbeeren zusammen mit dem Waldhonig, dem Sirup und der Molke in einen Mixer geben und kräftig durchmixen.

3) Den Mix in zwei hohe Gläser füllen. Jeden Drink mit einem Sahnehäubchen und ein paar Heidelbeeren garnieren.

Neuseeländer

Für 2 Drinks:

- 1 Limette
- 1 Kiwi
- 100 ml Apfelsaft
- 300 ml Molke

1) Die Limette waschen und abtrocknen. Von der Limette zwei schmale Spiralen für die Garnierung abschälen. Die Limette anschließend halbieren und auspressen. Die Kiwi schälen und in Scheiben schneiden. Zwei Scheiben für die Garnierung beiseite legen.

2) Das Kiwifruchtfleisch zusammen mit dem Limettensaft im Mixer pürieren. Apfelsaft und Molke zugeben und das Ganze kräftig verquirlen.

3) Den Mix in zwei Gläser füllen. Die Kiwischeiben einschneiden und an die Glasränder stecken. Die Drinks mit den Schalenspiralen garnieren.

Exotic Mix

Für 2 Drinks:

- 1 Zitrone (unbehandelt)
- 100 ml Ananassaft
- 300 ml Molke

1) Die Zitrone gründlich waschen und die Schale etwa zur Hälfte abreiben. Die Zitrone anschließend halbieren und zwei Zitronenscheiben abschneiden. Die Zitronenhälften auspressen.

2) Den Ananassaft zusammen mit der Molke und dem Zitronensaft im Mixer kräftig verquirlen.

3) Den Fruchtmix in zwei hohe Gläser füllen und mit der abgeriebenen Zitronenschale bestreuen. Die Zitronenscheiben bis zur Hälfte einschneiden und an die Glasränder stecken.

Melodie

Für 2 Drinks:

- 1 kleine Wassermelone
- 200 ml Molke
- 4 Blättchen Zitronenmelisse

1) Die Wassermelone in Spalten schneiden und etwa die Hälfte der Spalten beiseite legen.

2) Die restlichen Spalten schälen und das erhaltene Fruchtfleisch pürieren. Das Püree durch ein Sieb streichen und den Saft auffangen. Den Melonensaft mit der Molke vermischen.

3) Die Melonenmolke in zwei hohe Gläser füllen. Die Drinks mit der Zitronenmelisse garnieren und mit Strohhalmen servieren. Zu den Drinks die restlichen Melonenspalten reichen.

Reineclauden-Molke

Für 2 Drinks:

- 1 Vanilleschote
- 5 Reineclauden
- 400 ml Molke
- Zitronensaft
- Zimt

1) Die Vanilleschote längs aufschneiden und das Vanillemark mit einem Messer herauskratzen.

2) Die Reineclauden waschen, halbieren und die Kerne entfernen.

3) Das Fruchtfleisch zusammen mit dem Vanillemark im Mixer pürieren. Die Molke zugeben und alles zusammen gründlich verquirlen.

4) Den Mix mit Zitronensaft und Zimt abschmecken und in zwei Gläser füllen.

Sommertraum

Für 2 Drinks:

- 100 g Kirschen
- 100 g gemischte Beeren (Himbeeren, Erdbeeren, Johannisbeeren - frisch oder TK)
- 300 ml Molke

1) Die Kirschen waschen und entsteinen. Die Beeren verlesen und waschen. Ein paar schöne Früchte für die Garnierung beiseite legen.

2) Die restlichen Kirschen und Beeren pürieren. Das Püree durch ein Sieb streichen und den Saft auffangen. Den Fruchtsaft zusammen mit der Molke gut verquirlen.

3) Den Mix in zwei Gläser füllen. Die restlichen Früchte auf zwei lange Cocktailspieße stecken und diese in die Drinks stellen. Den „Sommertraum" mit farbigen Strohhalmen servieren.

Apfel in Holundermolke

Für 2 Drinks:

- **1 kleiner Apfel**
- **100 ml Holunderbeersaft (ungesüßt)**
- **½ Zimtstange**
- **300 ml Molke**
- **2 Teel. Honig**
- **Saft einer Zitrone**

1) Apfel schälen, vierteln und entkernen.

2) Die Apfelstücke zusammen mit dem Holunderbeersaft und der Zimtstange aufkochen und etwa 5 Minuten köcheln lassen.

3) Die Zimtstange herausnehmen und die Apfel-Holunderbeer-Mischung in den Mixer geben. Die Molke, den Honig und den Zitronensaft zugeben und alles zusammen kräftig mixen. Den Mix in zwei Gläser füllen und sofort servieren.

Fitness-Frühstück

X Statt Molke kann für alle Rezepte, wie auf **Seite 9** beschrieben, auch **Molkenpulver** eingesetzt werden.

Blütenstaub-Müsli

Für 2 Portionen:

- **75 g Himbeeren (frisch oder TK)**
- **1 kleine Banane**
- **1 Essl. Blütenpollen**
- **1 Teel. Honig**
- **200 ml Molke**
- **5 Essl. zarte Haferflocken**
- **2 Essl. Cornflakes**
- **Zimt**

1) Himbeeren verlesen oder auftauen lassen. Banane schälen und in Scheiben schneiden.

2) Die Hälfte der Bananenscheiben zusammen mit etwa der Hälfte der Blütenpollen und dem Honig in den Mixer geben und alles auf hoher Stufe kräftig pürieren. Die Molke zugeben und das Ganze nochmals auf kleiner Stufe etwa 10 Sekunden mixen.

3) Die restlichen Bananenscheiben, die Haferflocken und die Cornflakes auf zwei Schalen verteilen und den Blütenpollen-Molkenmix darüber gießen. Die Himbeeren darüber geben.

4) Die restlichen Blütenpollen fein zermahlen oder zerdrücken. Mit dem Blütenpollenstaub und einer Prise Zimt die Müsli-Portionen bestäuben.

Muntermacher-Müsli

Für 2 Portionen:

- 1 kleine Banane
- 1 Teel. Rosinen
- 4 Essl. Weizenflocken
- 4 Essl. Cornflakes
- 1 Essl. gehackte Haselnüsse
- 75 g Himbeeren (frisch oder TK)
- 1 Teel. Honig
- 200 ml Molke
- 1 Teel. Leinsamen geschrotet
- 1 Teel. Sonnenblumenkerne
- 1 Teel. Blütenpollen

1) Die Banane schälen und in Scheiben schneiden.

2) Die Bananenscheiben, die Rosinen, die Getreideflocken und die gehackten Haselnüsse zu gleichen Teilen in zwei Schälchen geben.

3) Die Himbeeren zusammen mit dem Honig im Mixer fein pürieren. Die Molke zum Himbeerpüree zugeben und das Ganze gut verquirlen.

4) Den Himbeer-Molke-Mix über die Müsliportionen geben.

5) Die Müslis mit dem geschroteten Leinsamen, den Sonnenblumenkernen und den Blütenpollen bestreuen und sofort servieren.

Müsli-Original

Für 2 Portionen:

- **2 Möhren**
- **1 kleiner Apfel**
- **Zitronensaft**
- **8 Essl. Müslimischung**
- **1 Essl. gehackte Haselnüsse**
- **1 kleine Banane**
- **200 ml Molke**
- **1 Essl. Sonnenblumen-
  kerne**

1) Möhren waschen und putzen. Apfel vierteln und entkernen. Möhren- und Apfelstücke grob raspeln und sofort mit Zitronensaft beträufeln.

2) Die Möhren- und Apfelraspel, die Müslimischung und die gehackten Haselnüsse auf zwei Schalen verteilen.

3) Die Banane schälen und zusammen mit der Molke im Mixer pürieren.

4) Die Bananenmolke über die Müsliportionen geben und diese mit den Sonnenblumenkernen bestreuen.

Drinks mit Biss

X Statt Molke kann für alle Rezepte, wie auf **Seite 9** beschrieben, auch **Molkenpulver** eingesetzt werden.

Kerniger Bananen-Trunk

Für 2 Drinks:

- **1 Banane**
- **1 Orange**
- **1 Vanilleschote**
- **1 Teel. heller Honig**
- **300 ml Molke**
- **4 Essl. Getreideflocken (je nach Wahl)**

1) Die Banane schälen und in Scheiben schneiden. Die Orange halbieren und zwei Scheiben für die Garnierung abschneiden. Die Orangenhälften auspressen. Die Vanilleschote längs aufschneiden und das Vanillemark mit einem Messer herauskratzen.

2) Die Bananenscheiben zusammen mit dem Orangensaft, dem Vanillemark und dem Honig im Mixer pürieren. Die Molke zugeben und das Ganze kräftig verquirlen.

3) Die Getreideflocken einrühren und den Trunk in zwei Gläser füllen. Die Orangenscheiben einschneiden und an die Glasränder stecken.

Pfirsich-Vanille

Für 2 Drinks:

- 2 Pfirsiche
- 1 Vanilleschote
- 1 Teel. Vanillezucker
- 350 ml Molke
- 4 Essl. Getreideflocken (je nach Wahl)

1) Die Pfirsiche halbieren, entsteinen und vierteln. Zwei Pfirsichschnitze für die Garnierung beiseite legen. Die Vanilleschote längs aufschneiden und das Vanillemark herauskratzen.

2) Die Pfirsichstücke zusammen mit dem Vanillemark und dem Vanillezucker im Mixer pürieren. Die Molke zugeben und das Ganze gut verquirlen.

3) Den Frucht-Mix in zwei Gläser füllen. Die Getreideflocken in die Drinks einrühren. Die Pfirsichstücke einschneiden und an die Glasränder stecken.

light & easy

Für 2 Drinks:

- 100 g Himbeeren (frisch oder TK)
- 1 Teel. Honig
- 300 ml Molke
- ½ Päckchen Vanillezucker
- 3 Essl. Haferflocken
- 2 Teel. gehackte Mandeln

1) Die Himbeeren verlesen oder auftauen lassen. Ein paar Himbeeren für die Garnierung beiseite legen.

2) Die restlichen Himbeeren zusammen mit dem Honig im Mixer pürieren. Die Molke zugeben und das Ganze gut verquirlen. Den Mix mit Vanillezucker abschmecken.

3) Die Haferflocken einrühren und den Trunk in zwei Gläser füllen. Die Drinks mit den gehackten Mandeln bestreuen und mit den Himbeeren garnieren.

Vollkorn-Trunk

Für 2 Drinks:

- **1 rote Paprikaschote**
- **¼ Salatgurke**
- **1 Zitrone (unbehandelt)**
- **300 ml Molke**
- **weißer Pfeffer**
- **2 Essl. Getreideflocken (je nach Wahl)**

1) Die Paprikaschote waschen und klein schneiden.

2) Die Salatgurke schälen und in Scheiben schneiden. Ein paar Scheiben für die Garnierung beiseite legen.

3) Etwas Zitronenschale reiben. Die Zitrone anschließend halbieren und auspressen.

4) Die restlichen Gurkenscheiben zusammen mit den Paprikastücken und dem Zitronensaft im Mixer kräftig pürieren. Die Molke zugeben und das Ganze gut verquirlen.

5) Den Mix mit Pfeffer abschmecken und in zwei Gläser füllen. Die Getreideflocken in die Drinks einrühren.

6) Die Gurkenscheiben einschneiden und an die Glasränder stecken. Die Drinks mit der geriebenen Zitronenschale bestreuen.

Frühaufsteher-Mix

Für 2 Drinks:

- 1 Mango
- 2 frische Feigen
- 1 Zitrone
- 250 ml Molke
- 1 Essl. Weizenkleie (oder Leinsamen)
- 1 Essl. Cornflakes
- 1 Essl. geraspelte Mandeln

1) Die Mangoschale einritzen und abziehen. Das Fruchtfleisch mit einem Messer spaltenweise vom Stein schneiden. Zwei Mangospalten für die Garnierung beiseite legen.

2) Die Feigen aufschneiden und mit einem kleinen Löffel das Fruchtfleisch herausnehmen. Die Zitrone auspressen.

3) Mango- und Feigenfruchtfleisch zusammen mit dem Zitronensaft im Mixer pürieren. Die Molke zugeben und das Ganze kräftig mixen. Die Weizenkleie unterrühren.

4) Den Mix auf zwei Gläser verteilen und mit Cornflakes und Mandelraspeln bestreuen.

5) Die restlichen Mangospalten einschneiden und an die Glasränder stecken.

Keimling

Für 2 Drinks:

- 1 Orange (unbehandelt)
- 300 ml Molke
- 1 Essl. Weizenkeimlinge
- 1 Essl. Leinsamenkeimlinge
- 1 Teel. Sonnenblumenkerne

1) Die Orange gründlich waschen und abtrocknen. Zunächst etwa einen gehäuften Esslöffel Orangenschale reiben. Die Orange halbieren und zwei dünne Scheiben für die Dekoration abschneiden. Die Fruchthälften auspressen.

2) Den frischen Orangensaft zusammen mit der Molke, der geriebenen Orangenschale und den Keimlingen in den Mixer geben und das Ganze etwa 10 Sekunden kräftig durchmixen.

3) Den Mix in zwei Gläser füllen und mit den Sonnenblumenkernen bestreuen.

4) Die Orangenscheiben bis zur Hälfte einschneiden und an die Glasränder stecken.

Desserts

✗ Statt Molke kann für alle Rezepte, wie auf **Seite 9** beschrieben, auch **Molkenpulver** eingesetzt werden.

Tuttifrutti

Für 4 Portionen:

- **2 Mangos**
- **2 Kiwis**
- **200 g Himbeeren (frisch oder TK)**
- **1 Banane**
- **1 Vanilleschote**
- **250 ml Molke**
- **Zitronensaft**

1) Die Mangoschalen einritzen und abziehen. Das Fruchtfleisch mit einem Messer spaltenweise vom Stein schneiden. Die Kiwis schälen und in Scheiben schneiden. Die Himbeeren verlesen oder auftauen lassen. Die Banane schälen und klein schneiden. Die Vanilleschote längs aufschneiden und das Vanillemark mit einem Messer herauskratzen.

2) Etwa die Hälfte der Himbeeren zusammen mit den Bananenstücken und dem Vanillemark im Mixer pürieren. Die Molke zugeben und das Ganze kräftig verquirlen. Den Fruchtmix mit Zitronensaft abschmecken.

3) Die restlichen Himbeeren, die Kiwischeiben und die Mangospalten auf vier Dessertschälchen verteilen. Die Früchte mit dem Fruchtmix übergießen. Das Dessert bis zum Servieren kühl stellen.

Melonen-Dessert

Für 2 Desserts:

- ½ Honigmelone
- 1 kleine Banane
- 200 ml Molke
- 1 Essl. Sanddornsaft
- 1 Essl. gehackte Mandeln

1) Die Melonenkerne mit einem Löffel entfernen. Das Fruchtfleisch aus der Melonenhälfte mit einem Kugelausstecher lösen.

2) Die Banane schälen, in Stücke schneiden und im Mixer pürieren. Die Molke und den Sanddornsaft zum Bananenpüree zugeben und das Ganze kräftig mixen.

3) Die Melonenkugeln auf zwei Dessertteller verteilen und mit der Bananenmolke übergießen. Das Melonen-Dessert mit den gehackten Mandeln bestreuen und sofort servieren.

Apfel-Molke-Reis

Zutaten für 4 Portionen:

- 500 ml Molke
- 25 g Zucker
- 1 Prise Salz
- 125 g Milch-Reis
- 2 säuerliche Äpfel
- Zimt
- Ingwerpulver

1) Molke zusammen mit dem Zucker und einer Prise Salz aufkochen. Milch-Reis einrühren und bei mäßiger Hitze 40 Minuten im offenen Topf quellen lassen, dabei mehrmals durchrühren. Äpfel schälen, vierteln und entkernen. Die Apfelstücke würfeln. Nach etwa der Hälfte der Kochzeit die Apfelstücke zum Reis zugeben.

2) Nach beendeter Garzeit mit Zimt und Ingwerpulver nach Belieben abschmecken. Der Apfel-Molke-Reis kann warm oder kalt serviert werden.

Himbeer-Molke-Reis

Zutaten für 4 Portionen:

- **500 ml Molke**
- **25 g Zucker**
- **1 Prise Salz**
- **125 g Milch-Reis**
- **150 g Himbeeren**
- **1 Essl. Honig**

1) Molke zusammen mit dem Zucker und einer Prise Salz aufkochen. Milch-Reis einrühren und bei mäßiger Hitze 40 Minuten im offenen Topf quellen lassen, dabei mehrmals durchrühren.

2) Zwei Drittel der Himbeeren zusammen mit dem Honig in den Mixer geben. Alles etwa 10 Sekunden gut durchmixen.

3) Nach beendeter Garzeit den Molke-Reis von der Kochstelle nehmen und das Himbeer-Püree unterrühren.

4) Den Himbeer-Molke-Reis in Portionsschälchen füllen und im Kühlschrank erkalten lassen.

5) Das kalte Dessert vor dem Servieren mit den restlichen Himbeeren garnieren.

Nuss-Dessert

Für 4 Portionen:

- **50 g süße Mandeln**
- **15 g Haselnüsse**
- **500 ml Molke**
- **½ Teel. Vanillezucker**
- **¼ Fläschchen Bittermandelöl (Backaroma)**
- **Honig**
- **6 Blatt farblose Gelatine**
- **200 g Himbeeren**

1) Die Mandeln und die Haselnüsse im Mixer möglichst fein zerkleinern. Die Molke, den Vanillezucker und das Bittermandelöl zugeben und das Ganze 30 Sekunden kräftig mixen.

2) Den Nussmolke-Mix durch ein Tuch gießen, um den Bodensatz zu entfernen. Die Nussmolke mit ausreichend Honig süßen.

3) Die Gelatineblätter in kaltem Wasser einweichen, abtropfen lassen und ausdrücken. Die eingeweichten Gelatineblätter in einer Schüssel im heißen Wasserbad unter Rühren auflösen. Zunächst einen kleinen Teil der Nussmolke unter die Gelatine rühren, dann langsam die restliche Nussmolke untermischen.

4) Vier Schälchen mit etwas Öl bestreichen. Das Molke-Dessert auf die Schälchen verteilen und im Kühlschrank erstarren lassen.

5) Das erstarrte Gelee kurz in heißes Wasser tauchen, auf vier Teller stürzen und mit den Himbeeren garnieren.

Feigen mit Bananencreme

Für 2 Portionen:

- **4 frische Feigen**
- **1 große Banane**
- **1 Teel. heller Honig**
- **250 ml Molke**
- **Saft einer halben Zitrone**
- **Zimt**
- **2 Blatt weiße Gelatine**
- **4 Essl. Getreideflocken**
- **1 Essl. Rosinen**

1) Die Stielansätze der Feigen abschneiden und die Schale mit einem Messer abziehen. Die geschälten Feigen vierteln.

2) Banane schälen, in Stücke schneiden und im Mixer mit dem Honig fein pürieren.

3) Molke und Zitronensaft zum Bananenpüree geben und das Ganze gut verquirlen. Die Bananenmolke mit Zimt abschmecken.

4) Die Gelatineblätter in kaltem Wasser fünf Minuten einweichen und dann abtropfen lassen. Die eingeweichten Gelatineblätter in einer Metallschüssel im heißen Wasserbad unter Rühren auflösen. Zunächst einen kleinen Teil der Bananenmolke unter die heiße Gelatine rühren und dann langsam die restliche Bananenmolke untermischen. Den Bananenmix im Kühlschrank stocken lassen.

5) Die Feigenstücke auf zwei Schälchen geben und die Getreideflocken und die Rosinen darüber streuen. Die Bananencreme darüber geben.

Himbeer-Ananas-Dessert

Für 4 Portionen:

- **200 g Himbeeren (frisch oder TK)**
- **400 ml Molke**
- **1 Teel. Honig**
- **1 kleine Ananas**
- **50 g Mandelblättchen**
- **7 Blatt farblose Gelatine**

1) Himbeeren sauber verlesen oder auftauen lassen und im Mixer pürieren. Das Püree durch ein feines Sieb streichen damit die Kerne entfernt werden. Das Himbeerpüree zusammen mit der Molke und dem Honig in den Mixer geben. Alles etwa 10 Sekunden gut verquirlen.

2) Die Ananas schälen und in 1 Zentimeter dicke Scheiben schneiden. Den holzigen Kern aus jeder Scheibe mit einem Messer heraustrennen.

3) Die Mandelblättchen in einer beschichteten Pfanne ohne Fett goldbraun rösten.

4) Die Gelatineblätter in kaltem Wasser fünf Minuten einweichen und dann abtropfen lassen. Die eingeweichten Gelatineblätter in einer Schüssel im heißen Wasserbad unter Rühren auflösen. Zunächst einen kleinen Teil der Fruchtmolke unter die heiße Gelatine rühren und dann langsam die restliche Fruchtmolke untermischen.

5) Vier Schälchen mit etwas Öl bestreichen und das Molkegelee einfüllen. Das Dessert im Kühlschrank erstarren lassen. Das erstarrte Gelee kurz in heißes Wasser tauchen, auf vier Teller stürzen und mit Ananasscheiben garnieren. Die gerösteten Mandelblättchen über die Desserts streuen.

Red Fruitcup

Für 2 Drinks:

- **100 g frische Erdbeeren**
- **1 Orange (unbehandelt)**
- **100 g Himbeeren (frisch oder TK)**
- **1 Teel. Honig**
- **300 ml Molke**

1) Die Erdbeeren waschen, entstielen, trocken tupfen und klein schneiden.

2) Von der Orange zwei dünne schmale Spiralen für die Garnierung abschälen. Die Orange anschließend halbieren und auspressen.

3) Die Himbeeren verlesen oder auftauen lassen und zusammen mit dem frisch gepressten Orangensaft und dem Honig pürieren. Die Molke zum Püree zugeben und das Ganze kräftig verquirlen.

4) Die Erdbeerstückchen in zwei hohe Gläser geben und den Himbeer-Mix darüber gießen. Die Früchtebecher mit den Schalenspiralen garnieren.

Nussiges

✗ Statt Molke kann für alle Rezepte, wie auf **Seite 9** beschrieben, auch **Molkenpulver** eingesetzt werden.

Capri-Drink

Für 2 Drinks:

- 2 Aprikosen
- 1 Essl. Mandelmus
- 1 Teel. Ahornsirup
- 100 ml Orangensaft
- 250 ml Molke
- Ahornsirup (für die Garnierung)
- Kokosraspel (für die Garnierung)

1) Die Aprikosen waschen, trockenreiben, halbieren und entsteinen. Die Fruchthälften vierteln und zwei Aprikosenviertel für die Garnitur beiseite legen.

2) Die Fruchtstücke zusammen mit dem Mandelmus, dem Sirup und dem Orangensaft im Mixer pürieren.

Die Molke zugeben und das Ganze gut verquirlen.

3) Etwas Ahornsirup auf einen Teller geben und die Ränder zweier Gläser in den Sirup tupfen. Eine kleine Schüssel mit Kokosraspel etwa ½ Zentimeter hoch befüllen und die mit Sirup benetzten Glasränder in die Raspel tauchen. Den Aprikosenmix in die Gläser füllen, ohne den Kokosrand zu zerstören.

4) Die Aprikosenviertel auf Cocktailspieße stecken und jedes Glas mit einem Spieß garnieren. Die Mixgetränke mit farbigen Strohhalmen servieren.

Nuss-Mix

Für 2 Drinks:

- 1 Essl. Mandelblättchen
- 10 Haselnüsse
- 5 Mandeln
- 1 Teel. Kokosraspel
- 400 ml Molke
- 1 Teel. Honig

1) Mandelblättchen in einer Pfanne ohne Fett bei niedriger Temperatur goldbraun rösten.

2) Haselnüsse und Mandeln im Mixer oder in der Mühle möglichst fein zerkleinern.

3) Die Nussstückchen werden in etwas Molke (ca. 3 Essl. Molke) zwei Minuten aufgekocht. Das Ganze wird danach durch einen Teefilter oder ein Küchentuch gegossen.

4) Den gewonnenen Sud zusammen mit den Kokosraspeln und der restlichen Molke in den Mixer geben. Alles etwa 10 Sekunden kräftig durchmixen.

5) Der Nuss-Mix wird je nach Geschmack mit etwas Honig gesüßt, in Longdrinkgläser abgefüllt und mit den gerösteten Mandelblättchen garniert.

Trauben-Nuss-Trunk

Für 2 Drinks:

- 1 kleiner Apfel
- 1 Essl. Haselnüsse
- 1 Essl. Rosinen
- 300 ml Molke
- Zitronensaft
- Zimt

1) Apfel schälen, vierteln und entkernen. Apfelstücke zusammen mit den Nüssen, den Rosinen und der Molke in den Mixer geben und 30 Sekunden gut durchmixen.

2) Der Trauben-Nuss-Trunk wird durch ein Sieb gegeben, mit Zitronensaft und Zimt abgeschmeckt und in zwei Gläser gefüllt. Die Drinks mit Strohhalmen servieren.

Rezept aus dem Morgenland

Für 2 Drinks:

- 2 Zitronen
- 10 süße Mandeln
- 3 Bittermandeln
- 1 Stück Ingwerwurzel (frisch oder getrocknet)
- 350 ml Molke

1) Die Zitronen halbieren und auspressen. Die Mandeln im Mixer möglichst fein zerkleinern und die Ingwerwurzel raspeln.

2) Ingwer- und Mandelstückchen im Zitronensaft aufkochen. Etwa 1 Minute köcheln lassen, den Topf von der Kochstelle nehmen und das Ganze durch ein Küchentuch gießen. Den gewonnenen Sud mit der Molke verquirlen. Den Mix auf zwei Gläser verteilen.

<u>Sunlight</u>

Für 2 Drinks:

- **50 g Himbeeren (frisch oder TK)**
- **1 Mango**
- **1 Teel. Mandelmus**
- **300 ml Molke**
- **3 Teel. gehackte Walnüsse**

1) Die Himbeeren verlesen oder auftauen lassen. Ein paar Himbeeren für die Garnierung beiseite legen.

2) Die Mangoschale einritzen und abziehen. Das Fruchtfleisch mit einem Messer spaltenweise vom Stein schneiden. Zwei Mangospalten in kleine Stückchen schneiden und diese für die Garnierung beiseite legen.

3) Das restliche Fruchtfleisch im Mixer zusammen mit den Himbeeren und dem Mandelmus pürieren. Die Molke zum Püree zugeben und das Ganze kräftig verquirlen.

4) Den Nuss-Frucht-Mix in zwei Gläser füllen und mit den gehackten Walnüssen bestreuen.

5) Die Himbeeren und die Mango-Stückchen auf zwei Cocktailspieße stecken und die Fruchtspieße über die Drinks legen.

Koko-Mix

Für 2 Drinks:

- **1 Kokosnuss**
- **1 kleine Banane**
- **Zitronensaft**
- **1 Teel. Honig**
- **300 ml Molke**
- **1 Eiweiß (für die Garnierung)**

1) Drei Löcher in die Kokosnuss bohren und die Kokosmilch herausfließen lassen. Die Kokosnuss mit einem Hammer zerstückeln und das Kokos-Fruchtfleisch von der Schale lösen. Etwa drei gehäufte Esslöffel Kokosstücke raspeln.

2) Die Banane schälen und in Scheiben schneiden. Ein paar Bananenscheiben mit Zitronensaft beträufeln und für die Garnierung beiseite legen.

3) Die Bananenscheiben zusammen mit dem Honig, der Kokosmilch und der Hälfte der Kokosraspeln im Mixer pürieren. Die Molke zugeben und das Ganze kräftig verquirlen.

4) In ein Schälchen das Eiweiß und in ein anderes Schälchen die restlichen Kokosnussraspel geben. Zwei Gläser mit den Rändern zunächst in das Eiweiß und dann in die Raspel tupfen. Den Kokosrand antrocknen lassen.

5) Die restlichen Bananenscheiben auf zwei Spieße stecken. Den Koko-Mix vorsichtig in die Gläser füllen und mit den Spießen garnieren. Die restlichen Kokosstücke zu den Drinks servieren.

Banane-Nuss-Drink

Für 2 Drinks:

- 1 Banane
- 1 Teel. Honig
- 2 Essl. gemahlene Haselnüsse
- 300 ml Molke
- Zimt
- 1 Essl. gehackte Haselnüsse

1) Die Banane schälen und in Stücke schneiden.

2) Bananenstücke, Honig, gemahlene Haselnüsse und etwas Molke in den Mixer geben und alles zusammen kräftig mixen. Die restliche Molke zugeben und das Ganze nochmals gut verquirlen.

3) Den Nuss-Mix mit Zimt abschmecken, auf zwei Gläser verteilen und mit Haselnuss-Stückchen garnieren.

Mit Kakao und Kaffee

X Statt Molke kann für alle Rezepte, wie auf **Seite 9** beschrieben, auch **Molkenpulver** eingesetzt werden.

Mokka Spezial

Für 2 Drinks:

- 1 Gewürznelke
- 1 Teel. Mandelmus
- 1 Essl. Fruchtzucker
- 400 ml Molke
- 1 Teel. Kaffeepulver (Instant)
- 1 frisches Eiweiß (für die Garnierung)
- 1 Essl. fein gehackte Mandeln (zum Garnieren)

1) Die Gewürznelke zu Pulver zerreiben. Das Mandelmus zusammen mit dem Nelkenpulver, dem Fruchtzucker und etwas Molke im Mixer kräftig verquirlen. Die restliche Molke zufließen lassen, das Kaffeepulver zugeben und alles zusammen gut vermischen.

2) Zwei hohe Gläser mit den Rändern ein paar Millimeter tief zunächst in ein Schälchen mit Eiweiß und dann in ein Schälchen mit den gehackten Mandeln tupfen. Den Mandelrand antrocknen lassen.

3) Den Mokkamix vorsichtig in die Gläser füllen, ohne den Mandelrand zu zerstören. Den „Mokka Spezial" mit farbigen Strohhalmen servieren.

Mokkadrink

Für 2 Drinks:

- 1 kleine Banane
- Zitronensaft
- 300 ml Molke
- 1 Teel. Kaffeepulver
  (Instant)
- 1 Teel. Kakaopulver
- 1 Teel. Vanillezucker

1) Die Banane schälen und in Scheiben schneiden. Ein paar Scheiben mit Zitronensaft beträufeln und für die Garnierung beiseite legen.

2) Die restlichen Bananenscheiben im Mixer pürieren. Molke, Kaffee- und Kakaopulver zugeben und das Ganze gut verquirlen.

3) Den Mokkadrink mit Vanillezucker abschmecken und auf zwei Gläser verteilen. Die Bananenscheiben auf einen Spieß stecken, mit Kakaopulver bestäuben und zu den Mokkadrinks servieren.

black and white

Für 2 Drinks:

- 1 Vanilleschote
- 1 Eigelb
- 350 ml Molke
- 1 Teel. Kaffeepulver
  (Instant)
- 1 Teel. Kakaopulver
- 2 Kugeln Vanilleeis
- 1 Essl. Schokoraspel

1) Die Vanilleschote längs aufschneiden und das Vanillemark herauskratzen.

2) Das Eigelb zusammen mit dem Vanillemark und ein wenig Molke in den Mixer geben und das Ganze etwa 10 Sekunden mixen. Die restliche Molke, das Kaffee- und das Kakaopulver zugeben und alles zusammen nochmals gut verquirlen.

3) Den Mix auf zwei Gläser verteilen. Auf jeden Drink eine Kugel Vanilleeis geben. Auf das Vanilleeis die Schokoraspel streuen.

Eierlei

✗ Statt Molke kann für alle Rezepte, wie auf **Seite 9** beschrieben, auch **Molkenpulver** eingesetzt werden.

Orangenmix Sunset

Für 2 Drinks:

- **2 Blutorangen (unbehandelt)**
- **1 Zitrone (unbehandelt)**
- **1 frisches Eigelb**
- **1 Teel. Himbeersirup**
- **250 ml Molke**

1) Zunächst etwa einen gehäuften Esslöffel Orangenschale reiben. Dann die Blutorangen halbieren und zwei dünne Orangenscheiben für die Garnierung abschneiden. Die Fruchthälften auspressen.

2) Etwa einen gehäuften Teelöffel Zitronenschale reiben. Die Zitrone anschließend halbieren und auspressen.

3) Blutorangensaft, abgeriebene Orangenschale, Zitronensaft, Eigelb und Himbeersirup in den Mixer geben und alles zusammen kräftig mixen. Molke bei kleiner Mixstufe zufließen lassen und das Ganze gut verquirlen.

4) Den Drink in zwei dekorative Gläser füllen und mit der abgeriebenen Zitronenschale bestreuen.

5) Die Orangenscheiben einschneiden und an die Glasränder stecken. Den „Orangenmix Sunset" mit Trinkhalmen servieren.

Orangenmix Sunrise

Für 2 Drinks:

- 1 Orange (unbehandelt)
- 1 frisches Ei
- 3 Eiswürfel
- 2 Essl. Zitronensaft
- 300 ml Molke

1) Etwas Orangenschale reiben, die Orange halbieren und zwei dünne Scheiben für die Garnierung abschneiden. Die Fruchthälften auspressen und das Ei aufschlagen.

2) Die Eiswürfel zusammen mit dem frisch gepressten O-Saft, dem Ei, dem Zitronensaft und der Molke in einen Shaker geben. Den Shaker verschließen und in waagrechter Haltung etwa 15 Sekunden gut schütteln.

3) Den geschüttelten Drink durch ein Barsieb in zwei Gläser abgießen.

4) Die Orangenscheiben einschneiden und an die Glasränder stecken. Die Drinks mit der geriebenen Orangenschale bestreuen.

Meike

Für 2 Drinks:

- 400 ml Molke
- 1 frisches Eigelb
- 1 Teel. Kastanienhonig
- 1 Teel. Mandelmus
- 2 Msp. Kardamom
- 1 Essl. Mandelstückchen

1) Molke, Eigelb, Honig und Mandelmus in den Mixer geben und zusammen etwa 15 Sekunden mixen.

2) Den Mix mit Kardamom aromatisieren, in zwei Gläser füllen und mit Mandelstückchen bestreuen.

Heike

Für 2 Drinks:

- 1 Vanilleschote
- 1 frisches Ei
- 1 Essl. heller Honig
- 350 ml Molke
- 1 Msp. geriebene Muskatnuss
- 2 Kugeln Vanille-Eiscreme
- 2 Zitronenscheiben

1) Die Vanilleschote längs aufschneiden und das Vanillemark herauskratzen.

2) Das Ei mit dem Honig, ein wenig Molke und dem Vanillemark im Mixer gut vermischen. Die restliche Molke unterrühren und den Mix mit Muskatnuss aromatisieren.

3) Jeweils eine Kugel Vanille-Eiscreme in zwei Gläser geben, den Mix darüber gießen und jeweils eine Zitronenscheibe an die Glasränder stecken.

bunny-mix

Für 2 Drinks:

- 1 große Möhre
- 1 Orange
- 1 Teel. heller Honig
- 1 Essl. gehackte Petersilie
- 1 frisches Ei
- 250 ml Molke

1) Möhre waschen, putzen und klein schneiden. Orange halbieren und auspressen.

2) Möhrenstücke zusammen mit dem Honig, der Petersilie und dem Ei im Mixer fein pürieren. Den frisch gepressten Orangensaft und die Molke zugeben und das Ganze kräftig verquirlen.

3) Den „bunny-mix" in zwei Gläser füllen und mit Petersilie garnieren.

Ariane 1

Für 2 Drinks:

- 1 Zitrone
- 2 Grapefruits
- 1 frisches Ei
- 1 Teel. Honig
- 1 Teel. Mandelmus
- 250 ml Molke

1) Von der Zitrone zwei dünne schmale Spiralen für die Garnierung abschälen. Die Zitrone anschließend halbieren und auspressen. Von einer Grapefruit ebenfalls zwei Spiralen für die Garnierung abschälen. Die Grapefruits danach halbieren und auspressen.

2) Die frischen Säfte zusammen mit dem Ei, dem Honig, dem Mus und der Molke in den Mixer geben. Alles kräftig durchmixen.

3) Den Mix in zwei Gläser füllen und mit den Schalenspiralen garnieren.

Eier-Flip

Für 2 Drinks:

- **1 kleine Banane**
- **1 Vanilleschote**
- **1 frisches Eigelb**
- **1 Teel. Sanddornsaft**
- **300 ml Molke**
- **1 Teel. Ahornsirup**
- **1 Teel. Kokosflocken**

1) Die Banane schälen und in Scheiben schneiden. Einige Bananenscheiben für die Garnierung beiseite legen.

2) Die Vanilleschote längs aufschneiden und das Vanillemark mit einem Messer herauskratzen.

3) Die Bananenscheiben zusammen mit dem Vanillemark, dem Eigelb und dem Sanddornsaft im Mixer pürieren. Die Molke zugeben und das Ganze auf kleiner Stufe mixen. Den Drink mit Ahornsirup abschmecken.

4) Den „Eier-Flip" in zwei Gläser füllen. Die Drinks mit Kokosflocken bestreuen und die Bananenscheiben an die Glasränder stecken.

Frostiges

X Statt Molke kann für alle Rezepte, wie auf **Seite 9** beschrieben, auch **Molkenpulver** eingesetzt werden.

Banana-Ice

Für 2 Drinks:

- **1 Essl. Mandelraspel**
- **1 kleine Banane**
- **300 ml Molke (gekühlt)**
- **1 Teel. Honig**
- **Zimt**
- **2 Kugeln Vanille-Eiscreme**

1) Mandelraspel in einer Pfanne ohne Fett rösten.

2) Banane schälen und in Scheiben schneiden. Die Bananenscheiben 30 Minuten im Gefrierfach tiefkühlen lassen.

3) Die gekühlte Molke in den Mixer geben, den Mixer einschalten und langsam die gefrorenen Bananenscheiben einstreuen. Den Honig zugeben und den Mix mit Zimt abschmecken.

4) Den Mix auf zwei Gläser verteilen und auf jeden Drink eine Kugel Vanille-Eis geben.

5) Auf das Vanille-Eis die gerösteten Mandelraspel streuen. Die Drinks mit Strohhalmen servieren.

Johannisbeer-Eis-Drink

Für 2 Drinks:

- **100 g schwarze Johannisbeeren**
- **300 ml Molke (gekühlt)**
- **1 Teel. Honig**
- **1 Teel. Vanillezucker**
- **Zitronensaft**
- **2 Kugeln Vanille-Eiscreme**
- **2 Kugeln Erdbeer-Eiscreme**

1) Die Johannisbeeren waschen und abtropfen lassen. Ein paar Johannisbeerrispen für die Garnierung beiseite legen. Die restlichen Beeren von den Stielen zupfen.

2) Molke und Beeren ca. 30 Minuten im Tiefkühlfach tiefkühlen.

3) Die gekühlte Molke in den Mixer geben, den Mixer einschalten und langsam die gefrosteten Johannisbeeren zugeben. Den Honig und den Vanillezucker in die Johannisbeer-Molke einrühren.

4) Den eiskalten Mix mit etwas Zitronensaft abschmecken und in zwei Kelchgläser füllen. Die Eiscreme-Kugeln darauf geben.

5) Die Glasränder mit Johannisbeerrispen garnieren und die Eis-Drinks sofort servieren.

Himbeertraum

Für 4 Desserts:

- **250 g frische Himbeeren**
- **1 Banane**
- **1 Essl. Honig**
- **250 ml Molke**
- **Vanillezucker**
- **3 Essl. Haselnuss-Stücke**

1) Die Himbeeren verlesen und die Banane schälen.

2) Die Banane zusammen mit den Himbeeren und dem Honig im Mixer pürieren. Die Molke zugeben und das Ganze gut verquirlen. Den Mix mit Vanillezucker abschmecken.

3) Einen kleinen Teil des Fruchtpürees für die Garnierung in ein Schälchen füllen und in den Kühlschrank stellen. Das restliche Püree in eine Metallschüssel geben und im Gefrierfach etwa 3 Stunden gefrieren lassen, bis das Eis dickcremig ist.

Während der ersten 2 Stunden das Fruchtpüree halbstündlich kräftig durchrühren.

4) Die Haselnuss-Stückchen in einer Pfanne ohne Fett rösten.

5) Die Eiscreme nach 3 Stunden aus dem Gefrierfach nehmen. Mit einem Eisportionierer Kugeln abstechen und diese auf vier Dessertschalen verteilen.

6) Das Eis mit der restlichen Fruchtmolke übergießen und mit den gerösteten Haselnuss-Stückchen garnieren.

Zitrus-Quark-Creme mit Eisbällchen

Für 2 Desserts:

Zutaten Erdbeereis:
- **100 g frische Erdbeeren**
- **1 Essl. Honig**
- **100 ml Molke**
- **1 Essl. Schokoraspel**

Zutaten Zitrus-Quark-Creme:
- **100 g Magerquark**
- **100 ml Molke**
- **1 Essl. Ahornsirup**
- **Saft und abgeriebene Schale einer unbehandelten Zitrone**

1) Eis: Die Erdbeeren sauber verlesen und dann zusammen mit dem Honig im Mixer pürieren. Die Molke zugeben und das Ganze gut verquirlen. Die Schokoraspel einrühren. Die Erdbeermolke in eine Metallschüssel geben und im Gefrierfach etwa 3 Stunden tiefkühlen lassen. Während der ersten 2 Stunden das Fruchtpüree halbstündlich kräftig durchrühren. Das Eis muss spätestens nach 4 Stunden aus dem Gefrierfach genommen werden, da es ansonsten zu hart gefriert.

2) Zitrus - Quark - Creme: Den Quark zusammen mit der Molke, dem Ahornsirup, dem Zitronensaft und der Zitronenschale glatt rühren. Die Creme auf zwei Dessertschalen verteilen und im Gefrierfach kurz anfrosten lassen.

3) Die Creme und das Erdbeereis aus dem Gefrierfach nehmen. Mit einem Portionierer aus dem Erdbeereis Kugeln formen und je zwei Kugeln auf die Zitrus-Quark-Creme geben.

Violetta

Für 2 Drinks:

- 1 Zitrone (unbehandelt)
- 75 g frische Heidelbeeren
- 1 Teel. Honig
- 350 ml Molke
- 2 Kugeln Vanille-Eis-creme

1) Von der Zitrone zwei dünne schmale Spiralen für die Garnierung abschälen. Anschließend etwas Zitronenschale reiben. Die Zitrone halbieren und auspressen.

2) Die Heidelbeeren verlesen, waschen und gut abtropfen lassen. Ein paar Heidelbeeren für die Garnierung beiseite legen.

3) Die restlichen Heidelbeeren zusammen mit dem Honig und der Molke in einen Mixer geben und kräftig durchmixen. Den Mix mit dem frisch gepressten Zitronensaft abschmecken und in zwei hohe Gläser füllen.

4) Auf jeden Drink eine Kugel Vanilleeis geben. Auf das Vanilleeis die geriebene Zitronenschale streuen.

5) Die Drinks mit den Schalenspiralen und den Heidelbeeren garnieren und mit dicken Trinkhalmen servieren.

Strawberry Wonder

Für 2 Drinks:

- 75 g Erdbeeren
- 300 ml Molke (gekühlt)
- 2 Kugeln Erdbeereis

1) Die Erdbeeren waschen, trocken tupfen und zwei schöne Früchte für die Dekoration beiseite legen.

2) Die restlichen Früchte im Mixer pürieren. Die gekühlte Molke zum Püree zugeben und das Ganze kräftig verquirlen.

3) Jeweils eine Kugel Erdbeereis in zwei hohe Gläser geben und den Erdbeermix über das Eis gießen. Die Erdbeeren einschneiden und an die Glasränder stecken. Die Drinks sofort servieren.

Molke mit Schuss

X Statt Molke kann für alle Rezepte, wie auf **Seite 9** beschrieben, auch **Molkenpulver** eingesetzt werden.

Lambada

Für 2 Drinks:

- **50 g Himbeeren (frisch oder TK)**
- **100 ml Ananassaft**
- **2 cl Eierlikör**
- **1 Teel. Honig**
- **300 ml Molke**

1) Die Himbeeren sauber verlesen oder auftauen lassen. Ein paar Himbeeren für die Dekoration beiseite legen.

2) Die Beeren zusammen mit dem Ananassaft, dem Eierlikör und dem Honig in den Mixer geben und alles auf mittlerer Stufe gut durchmixen. Die Molke langsam zufließen lassen und das Ganze gut verquirlen.

3) Den Molke-Mix in zwei Cocktailgläser gießen. Die restlichen Himbeeren auf zwei Spieße stecken und die Gläser damit garnieren.

69

Amaretto-Mix

Für 2 Drinks:

- **20 süße Mandeln**
- **400 ml Molke**
- **1 Teel. Waldhonig**
- **1 Teel. Kakaopulver**
- **4 cl Amaretto (Mandel-likör)**
- **Vanillezucker**
- **Honig (für die Garnierung)**
- **Kakaopulver (für die Garnierung)**

1) Die Mandeln im Mixer möglichst fein zerkleinern. Die Molke zugeben und 30 Sekunden kräftig mixen. Den Mix durch ein Tuch gießen, um den Bodensatz zu entfernen. Die Mandel-Molke auffangen und erneut in den Mixer geben. Den Honig, das Kakaopulver und den Mandellikör zugeben und das Ganze gut verquirlen. Den Mix mit wenig Vanillezucker abschmecken.

2) Geben Sie auf einen Teller etwas Honig und auf einen anderen Teller etwas Kakaopulver. Tupfen Sie die Ränder zweier Gläser zuerst auf den Honig und dann auf das Kakaopulver.

3) Füllen Sie nun vorsichtig den Drink in die Gläser, ohne den Kakaorand zu berühren. Servieren Sie die Drinks mit Strohhalmen.

Gemüse & Co.

X Statt Molke kann für alle Rezepte, wie auf **Seite 9** beschrieben, auch **Molkenpulver** eingesetzt werden.

Paprika-Light

Für 2 Drinks:

- 1 rote Paprikaschote
- 1 Orange (unbehandelt)
- 50 ml ungesüßter Karottensaft
- 300 ml Molke
- 4 Blättchen Zitronen-melisse
- weißer Pfeffer

1) Die Paprikaschote entkernen und klein schneiden.

2) Die Orange waschen, abtrocknen und zwei dünne schmale Spiralen für die Garnierung abschälen. Die Orange anschließend halbieren und auspressen.

3) Die Paprikastücke zusammen mit dem frischen Orangensaft, dem Karottensaft, der Molke und zwei Blättchen Zitronenmelisse in den Mixer geben. Alles kräftig durchmixen.

4) Den „Paprika-Light" mit Pfeffer abschmecken und in zwei hohe Gläser füllen.

5) Die Drinks mit den Schalenspiralen und den restlichen Melisseblättchen garnieren.

I´m walking

Für 2 Drinks:

- ½ **Honigmelone**
- ¼ **Salatgurke**
- 1 **Essl. gehackter Schnittlauch**
- 200 ml **Molke**
- **weißer Pfeffer**

1) Einen Teil des Fruchtfleisches aus der Melonenhälfte mit einem Kugelausstecher lösen. Die Melonenkugeln für die Garnierung beiseite legen. Das restliche Melonenfruchtfleisch mit einem Löffel lösen.

2) Die Gurke schälen und in Scheiben schneiden. Vier Gurkenscheiben für die Garnierung beiseite legen.

3) Die restlichen Gurkenscheiben zusammen mit dem Melonenfruchtfleisch und dem Schnittlauch im Mixer gründlich pürieren. Die Molke dazumischen und das Ganze mit Pfeffer abschmecken.

4) Den Mix in zwei Gläser füllen. Die Gurkenscheiben einschneiden und an die Glasränder stecken. Die Melonenkugeln auf zwei Cocktailspieße stecken und diese über die Gläser legen.

Möhren-Apfel-Molke

Für 2 Drinks:

- 2 Möhren
- 1 kleiner Apfel
- 300 ml Molke
- 1 Essl. Zitronensaft
- ½ Teel. Pflanzenöl

1) Möhren waschen, putzen und klein schneiden. Apfel schälen, vierteln und entkernen.

2) Die Möhren- und Apfelstücke in den Mixer geben und das Ganze etwa 10 Sekunden pürieren. Molke, Zitronensaft und Öl zugeben und alles zusammen nochmals 10 Sekunden kräftig mixen.

3) Den Mix in zwei dekorative Gläser füllen und die Glasränder mit je einem Apfelschnitz garnieren.

Annie

Für 2 Drinks:

- 100 ml Tomatensaft
- 300 ml Molke
- 2 Teel. Honig
- 1 Msp. Anispulver
- Zitronensaft
- schwarzer Pfeffer
- 1 Teel. Sonnenblumenkerne
- 2 - 4 Minitomaten

1) Den Tomatensaft zusammen mit der Molke und dem Honig gut verquirlen.

2) Den Mix mit Anispulver, Zitronensaft und Pfeffer abschmecken und in zwei hohe Gläser füllen.

3) Die Drinks mit den Sonnenblumenkernen bestreuen. Die Minitomaten einschneiden und an die Glasränder stecken.

Nettle-Drink

Für 2 Drinks:

- **5 Essl. junge, frische Brennesselblätter**
- **400 ml Molke**
- **1 Msp. geriebene Muskatnuss**
- **schwarzer Pfeffer**

1) Brennesselblätter fein zerhacken, in ein Sieb geben und mit zwei Tassen kochendem Wasser langsam übergießen.

2) Die Brennesselblätter zusammen mit einem kleinen Teil der Molke in den Mixer geben und alles auf höchster Stufe kräftig mixen. Die restliche Molke zugeben und das Ganze auf kleiner Stufe weitere 10 Sekunden gut durchmischen.

3) Den Mix mit einer Prise Muskat und schwarzem Pfeffer abschmecken. Den „Nettle-Drink" in zwei hohen Gläsern servieren.

Tip:
Frische, junge Brennesselblätter werden in den Monaten Mai, Juni und Juli geerntet. Man legt sich einen Vorrat an, indem man die Blätter an der Luft trocknet.
Brennesselblätter haben einen hohen Nährwert. Die Säure, die das Brennen hervorruft, wird durch kurzes überbrühen mit kochend heißem Wasser zerstört.

Pusteblume

Für 2 Drinks:

- 5 Essl. gehackte frische Löwenzahnblätter
- 1 Teel. Waldhonig
- 1 Teel. Küchenkräuter
- 400 ml Molke
- Zitronensaft

1) Löwenzahnblätter in den Monaten März bis Mai ernten und möglichst frisch zubereiten.

2) Die Löwenzahnblätter zusammen mit dem Honig, den Küchenkräutern und etwas Molke im Mixer pürieren. Die restliche Molke zugeben und das Ganze gut verquirlen.

3) Den Mix mit Zitronensaft abschmecken, auf zwei Gläser verteilen und sofort genießen.

Liebesapfel

Für 2 Drinks:

- 2 reife rote Tomaten
- 100 g Salatgurke
- 1 Essl. gehackte Petersilie
- 1 Essl. Dillspitzen
- ¼ Teel. Olivenöl
- 250 ml Molke
- weißer Pfeffer

1) Den Stielansatz der Tomaten heraus schneiden, die Tomaten mit kochendem Wasser überbrühen und die Haut mit einem Messer abschälen. Die Tomaten vierteln. Die Salatgurke schälen und in Scheiben schneiden.

2) Die Tomatenviertel zusammen mit den Gurkenscheiben, den Küchenkräutern und dem Olivenöl im Mixer pürieren. Die Molke zugeben und das Ganze nochmals etwa 15 Sekunden gut durchmischen. Den Trunk mit Pfeffer abschmecken.

Zwiebel-Mix

Für 2 Drinks:

- **150 g Salatgurke**
- **½ Gemüsezwiebel**
- **½ geschälte Knoblauch-zehe**
- **1 Zitrone**
- **1 Essl. gehackte Peter-silie**
- **1 Teel. gehackter Schnitt-lauch**
- **300 ml Molke**
- **weißer Pfeffer**

1) Die Salatgurke schälen und in Scheiben schneiden. Ein paar Scheiben für die Garnierung beiseite legen.

2) Die Zwiebelhälfte schälen und grob zerkleinern.

3) Die Schale der Zitrone etwa zur Hälfte abreiben. Die Zitrone halbieren und auspressen.

4) Die Gurkenstücke zusammen mit den Zwiebel-stücken, der Knoblauch-zehe, den Küchenkräutern und der abgeriebenen Zitronenschale im Mixer pürieren. Den Zitronensaft und die Molke zugeben und das Ganze nochmals gut durchmixen.

5) Den Drink mit Pfeffer abschmecken und in zwei Gläser füllen. Die Glasränder mit den Gurkenscheiben garnieren.

Hot Paprika-Mix

Für 2 Drinks:

- **1 rote Paprikaschote**
- **1 Zitrone (unbehandelt)**
- **½ Teel. Olivenöl**
- **1 Msp. Paprika edelsüß**
- **400 ml Molke**
- **weißer Pfeffer**

1) Die Paprikaschote waschen und klein schneiden.

2) Die Schale der Zitrone etwa zur Hälfte abreiben. Die Zitrone halbieren und zwei Scheiben für die Garnierung abschneiden. Die Zitronenhälften auspressen.

3) Die Paprikastücke zusammen mit der Zitronenschale, dem Zitronensaft, dem Öl und dem Paprikapulver im Mixer pürieren. Die Molke zugeben und das Ganze kräftig verquirlen.

4) Den Paprika-Mix mit Pfeffer abschmecken und in zwei hohe Gläser füllen.

5) Die Zitronenscheiben mit Paprikapulver bestäuben, einschneiden und an die Glasränder stecken.

Kräuter-Mix

Für 2 Drinks:

- 2 Essl. gehackte Petersilie
- 2 Essl. gehackter Kerbel
- 1 Essl. gehackte Zitronenmelisse
- 400 ml Molke
- Zitronensaft
- Muskatpulver

1) Die Kräuter zusammen mit der Molke im Mixer gut durchmixen.

2) Die Kräutermolke mit Zitronensaft und Muskat abschmecken.

3) Den Mix in zwei Gläser füllen, mit Muskatpulver bestäuben und mit Petersilie garnieren.

Kräuterfee

Für 2 Drinks:

- 1 Essl. gehackte Petersilie
- 1 Essl. gehackter Schnittlauch
- 1 Essl. gehackter Dill
- 1 Teel. geriebener Meerrettich
- 400 ml Molke
- weißer Pfeffer
- Zitronensaft

1) Die Küchenkräuter zusammen mit dem Meerrettich und etwas Molke in den Mixer geben und kräftig durchmixen. Die restliche Molke zugeben und das Ganze nochmals gut verquirlen.

2) Den Mix mit Pfeffer und Zitronensaft abschmecken.

Red Wonder

Für 2 Drinks:

- **1 kleine rote Paprika-schote**
- **1 kleine Tomate**
- **1 kleine Gemüsezwiebel**
- **1 Peperoni**
- **1 Teel. gehackter Schnitt-lauch**
- **1 Teel. gehackte Peter-silie**
- **300 ml Molke**
- **weißer Pfeffer**
- **2 - 4 Minitomaten (für die Garnierung)**

1) Die Paprikaschote waschen und den Strunk entfernen. Die Schote klein schneiden.

2) Die Tomate mit kochendem Wasser überbrühen und die Haut mit einem Messer abschälen. Die Tomate vierteln.

3) Die Zwiebel schälen und klein schneiden. Den Strunk der Peperoni entfernen.

4) Die Paprikastücke zusammen mit den Tomatenvierteln, den Zwiebelstücken, der Peperoni, den Küchenkräutern und etwas Molke in den Mixer geben und alles kräftig durchmixen. Die restliche Molke zugeben und das Ganze nochmals gut vermischen.

5) Den feurigen Drink mit Pfeffer abschmecken und in zwei dekorative Gläser füllen. Die Minitomaten einschneiden und an die Glasränder stecken.

muscle-drink

Für 2 Drinks:

- **50 g frischer Spinat**
- **400 ml Molke**
- **schwarzer Pfeffer**
- **Muskatnuss, gerieben**
- **1 Radieschen**

1) Spinat waschen, putzen und zerpflücken.

2) Den Spinat zusammen mit der Molke in den Mixer geben und das Ganze kräftig durchmixen.

3) Den Mix mit Pfeffer und Muskatnuss abschmecken und in zwei Kelchgläser füllen.

4) Radieschen putzen, waschen und in Scheiben schneiden. Mit den Radieschenscheiben die Glasränder verzieren.

Rhabarber-Molke

Für 2 Drinks:

- **75 g frischer Rhabarber**
- **400 ml Molke**
- **Zimt**
- **Ingwerpulver**

1) Blattansatz und Stielende vom Rhabarber abschneiden. Die äußere Haut des Rhabarbers abziehen und die Stangen in 2 bis 3 Zentimeter lange Stücke schneiden. Die Stücke in wenig Wasser mit etwas Zitronensaft bei geringer Hitze köcheln lassen bis sie weich geworden sind. Anschließend den Rhabarber auf ein Sieb geben und die Flüssigkeit ablaufen lassen.

2) Den Rhabarber zusammen mit der Molke im Mixer auf hoher Stufe kräftig durchmixen. Die Rhabarber-Molke mit Zimt und Ingwerpulver abschmecken und in Gläser füllen.

Rote-Bete-Mix

Für 2 Drinks:

- 1 Zitrone (unbehandelt)
- 100 ml Rote-Bete-Saft
- 1 Msp. geriebener Meerrettich
- 300 ml Molke
- 1 Teel. Leinsamen
- ½ Kästchen Kresse

1) Die Zitrone waschen und abtrocknen. Zwei dünne, schmale Spiralen für die Garnierung abschälen. Die Zitrone anschließend halbieren und auspressen.

2) Gemüsesaft, Meerrettich, Molke, Leinsamen und Kresse in den Mixer geben und alles zusammen kräftig durchmixen.

3) Den Mix mit dem frisch gepressten Zitronensaft abschmecken und in zwei Gläser füllen. Die Drinks mit den Schalenspiralen garnieren und sofort servieren.

Öko-Cocktail

Für 2 Drinks:

- 2 Möhren
- 1 Teel. Sanddornsaft
- 1 Teel. Honig
- 1 Essl. gehackte Petersilie
- 1 Essl. Leinsamen
- 300 ml Molke
- 1 Essl. Sonnenblumenkerne
- Petersilie (für die Garnierung)

1) Möhren waschen, putzen und klein schneiden.

2) Die Möhrenstücke zusammen mit dem Sanddornsaft, dem Honig, der Petersilie und dem Leinsamen in den Mixer geben und möglichst fein pürieren. Die Molke zugeben und das Ganze gut verquirlen.

3) Den Mix in zwei Gläser füllen. Die Cocktails mit Sonnenblumenkernen bestreuen und mit Petersilie garnieren.

Green Cocktail

Für 2 Drinks:

- **75 g Salatblätter (Kopfsalat)**
- **2 Radieschen**
- **400 ml Molke**
- **Zitronensaft**
- **1 Teel. Sonnenblumenkerne**

1) Die Salatblätter gründlich waschen und zerkleinern. Radieschen putzen und waschen.

2) Zerkleinerte Salatblätter, Radieschen und Molke in den Mixer geben und alles zusammen nur wenige Sekunden kräftig mixen.

3) Den Cocktail mit wenig Zitronensaft abschmecken, in zwei Gläser füllen und mit den Sonnenblumenkernen bestreuen.

Anis-Molke

Für 2 Tassen:

- **2 Teel. zerdrückte Anisfrüchte**
- **400 ml Molke**
- **Honig**

1) Molke zusammen mit den Anisfrüchten erhitzen und kurz vor dem Aufkochen von der Kochstelle nehmen.

2) Die Anis-Molke zehn Minuten ziehen lassen und durch ein Sieb in zwei Tassen gießen.

3) Den Trunk mit Honig süßen und noch warm genießen.

Red-Mix

Für 2 Drinks:

- ½ reife Avocado
- 250 ml Molke
- 100 ml Tomatensaft
- 1 Essl. Zitronensaft
- 1 Teel. fein gehackte Petersilie
- 1 Teel. Dillspitzen
- Oregano
- weißer Pfeffer

1) Die Avocadohälfte schälen und den Kern herauslösen. Das Fruchtfleisch grob zerkleinern.

2) Avocado-Fruchtfleisch im Mixer pürieren. Langsam die Molke, den Tomaten- und den Zitronensaft zugießen und das Ganze gut verquirlen. Die Küchenkräuter unterrühren und den Mix mit Oregano und Pfeffer abschmecken.

3) Den „Red-Mix" in zwei Gläser füllen und mit Petersilie garnieren.

Herren-Molke

Für 2 Drinks:

- 50 g Brombeeren
- 1 kleine Gemüsezwiebel
- 1 kleiner Apfel
- 250 ml Molke
- 1 Msp. Jodsalz
- Zitronensaft

1) Die Brombeeren verlesen, sorgfältig waschen und auf einem Küchentuch abtropfen lassen. Die Zwiebel abziehen und in Scheiben schneiden. Den Apfel schälen, vierteln und entkernen.

2) Die Brombeeren zusammen mit den Zwiebelscheiben und den Apfelvierteln im Mixer auf höchster Stufe kräftig pürieren. Molke und Salz zugeben und das Ganze gut verquirlen.

3) Die Herren-Molke mit Zitronensaft abschmecken, in zwei Gläser füllen und sofort genießen.

11-Uhr-Cocktail

Für 2 Drinks:

- **1 kleiner Apfel**
- **Zitronensaft**
- **200 ml Molke**
- **100 ml Sauerkrautsaft (milchsauer vergoren)**
- **100 ml Grapefruitsaft**
- **1 Teel. Sonnenblumenkerne**
- **1 Zweig Zitronenmelisse**

1) Apfel schälen, vierteln und entkernen.

2) Ein Apfelviertel nochmals teilen. Die zwei Schnitze mit Zitronensaft beträufeln und beiseite legen.

3) Die Molke zusammen mit den restlichen Apfelstücken, dem Sauerkrautsaft und dem Grapefruitsaft in den Mixer geben und alles kräftig durchmixen.

4) Den „11-Uhr-Cocktail" in zwei große Gläser füllen und mit den Sonnenblumenkernen bestreuen.

5) Die beiseite gelegten Apfelschnitze einschneiden und an die Glasränder stecken. Die Zitronenmelisse waschen, trocken tupfen und die Blättchen abzupfen. Die Drinks mit den Melisseblättchen garnieren.

Radieschen-Mix

Für 2 Drinks:

- 5 Radieschen
- 2 Essl. klein gehackte Kräuter
- 1 Teel. Zitronensaft
- 400 ml Molke
- 1 Msp. frisch geriebener Meerrettich
- weißer Pfeffer
- 2 Cocktailtomaten (für die Garnierung)

1) Die Radieschen putzen, waschen und in Scheiben schneiden. Zwei Radieschenscheiben für die Garnierung beiseite legen.

2) Die restlichen Radieschenscheiben mit etwa der Hälfte der Küchenkräuter und dem Zitronensaft im Mixer pürieren. Die Molke zugeben und das Ganze gut verquirlen.

3) Den Radieschen-Mix mit Meerrettich und Pfeffer abschmecken, in zwei Gläser füllen und mit den restlichen Kräutern bestreuen.

4) Die Radieschenscheiben und die Cocktailtomaten einschneiden und an die Glasränder stecken.

Guten Morgen

Für 2 Drinks:

- 2 Radieschen
- 100 g Salatgurke
- 1 Essl. gehackte Küchenkräuter
- 100 ml Tomatensaft
- 300 ml Molke
- Pfeffer
- Muskat
- 2 Minitomaten (für die Garnierung)
- Kresse (für die Garnierung)

1) Die Radieschen putzen, waschen und in Scheiben schneiden. Ein paar Radieschenscheiben für die Garnierung beiseite legen.

2) Die Salatgurke schälen und in Scheiben schneiden.

3) Die Gemüsescheiben zusammen mit den Kräutern im Mixer pürieren. Den Tomatensaft und die Molke zugeben und das Ganze kräftig verquirlen.

4) Den Mix mit Pfeffer und Muskat abschmecken und in zwei Gläser füllen.

5) Die Radieschenscheiben und die Minitomaten einschneiden und an die Glasränder stecken. Die Drinks mit etwas Kresse bestreuen und sofort servieren.

Yellow Miracle

Für 2 Drinks:

- 1 gelbe Paprikaschote
- 100 ml Orangensaft
- 1 Teel. Sanddornsaft
- 300 ml Molke
- 1 Essl. gehackte Kräuter

1) Die Paprikaschote waschen und den Strunk entfernen. Die Schote klein schneiden.

2) Die Paprikastücke zusammen mit den Säften und der Molke in den Mixer geben und alles kräftig durchmixen.

3) Den „Yellow Miracle" in zwei hohe Gläser füllen und die Drinks mit den gehackten Kräutern garnieren.

Rezepte innerhalb eines Kapitels

Fruchtige Drinks

Fitness-Frühstück

Drinks mit Biss

Desserts

Nussiges

Mit Kakao und Kaffee

Eierlei

Frostiges

Molke mit Schuss

Gemüse & Co.

Alle Rezepte von A - Z

Für handschriftliche Notizen

Für handschriftliche Notizen

Für handschriftliche Notizen

Für handschriftliche Notizen